Symboles du Canada

Les capitales

Édité par Deborah Lambert

Weigl

Publié par Weigl Educational Publishers Limited
6325, 10e rue S.-E.
Calgary (Alberta) T2H 2Z9

www.weigl.com

Catalogage de Bibliothèque et Archives Canada dans la publication

Données de catalogage de Bibliothèque et Archives Canada dans la publication disponibles sur demande. Télécopieur (403) 233-7769 à l'attention du service des dossiers d'édition.

ISBN 978-1-77071-367-3

Imprimé à North Mankato, Minnesota, États-Unis d'Amérique
1 2 3 4 5 6 7 8 9 0 14 13 12 11 10

072010
WEP230610

Éditrice : Heather C. Hudak
Conception : Kathryn Livingstone

Toutes les adresses URL Internet figurant dans ce livre étaient valides au moment d'aller sous presse. Cependant, vu la nature dynamique de l'Internet, certaines adresses peuvent avoir changé ou ont cessé d'exister depuis l'impression. Quoique l'auteur et l'éditeur regrettent tout inconvénient que ceci pourrait causer aux lecteurs, ni l'auteur ni l'éditeur ne peuvent assumer la responsabilité de tels changements.

Tous les efforts raisonnables ont été déployés pour trouver le détenteur du droit d'auteur afin d'obtenir la permission de reproduire le matériel protégé par droits d'auteur. L'éditeur serait reconnaissant que l'on signale toute erreur ou omission aux fins d'apporter les corrections aux publications ultérieures.

Weigl reconnaît Getty Images comme fournisseur principal d'images pour ce titre.
Alamy : pages 13, 15, 17, 21, 22, 23 Nouveau-Brunswick, 23 Territoires du Nord-Ouest, 23 Nunavut, 23 Saskatchewan, 23 Yukon.

Nous reconnaissons l'aide financière du gouvernement du Canada par l'entremise du Fonds du livre du Canada pour nos activitiés d'édition.

Il est à noter que les populations et les régions changent souvent. Les données fournies sont basées sur les statistiques les plus récentes, soit du Recensement de 2006, et se rapportent aux villes plutôt qu'aux régions métropolitaines, sauf indication contraire.

Table des matières

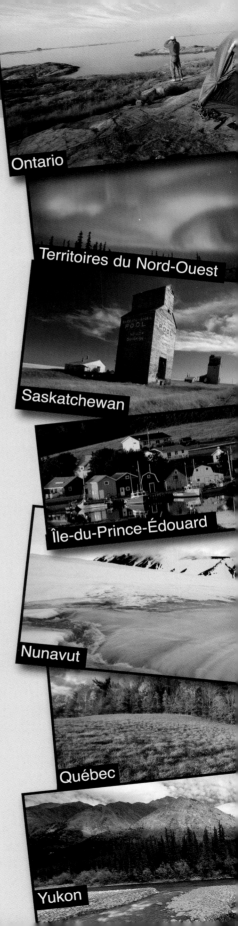

Ontario

Territoires du Nord-Ouest

Saskatchewan

Île-du-Prince-Édouard

Nunavut

Québec

Yukon

Qu'est-ce qu'un symbole?

Un symbole est un article qui représente une autre chose. Les objets, les œuvres d'art ou les êtres vivants peuvent tous être des symboles. Chaque province et territoire du Canada a des symboles officiels. Ces articles représentent le peuple, l'histoire et la culture des provinces et territoires. Les symboles des provinces et territoires suscitent des sentiments de fierté et de citoyenneté chez les personnes qui y habitent. Chacune des dix provinces et chacun des trois territoires a sa propre capitale. La capitale est un symbole du peuple et du patrimoine d'une province ou d'un territoire.

La capitale est la ville où les gouvernements de niveau fédéral, provincial ou territorial se rencontrent. La capitale n'est pas toujours la ville la plus **peuplée** d'une province ou d'un territoire. Dans beaucoup de cas, la capitale est le principal centre économique d'une province ou d'un territoire. Le choix des capitales canadiennes repose sur divers facteurs, surtout la taille et l'emplacement. Le Canada compte quatorze capitales. Elles comprennent la capitale nationale à Ottawa, dix capitales provinciales et trois capitales territoriales.

Le gouvernement fédéral du Canada se trouve à Ottawa.

Repérer les provinces et territoires

Chaque province et territoire a une capitale. Les terres, les peuples, la faune et la flore rendent chaque province et territoire unique. Dans ce livre, les provinces et régions sont codées en couleur. Pour retrouver une capitale, trouvez d'abord la province ou le territoire sur cette carte. Allez ensuite aux pages avec la même couleur d'image de province ou de territoire au coin supérieur.

Terre-Neuve-et-Labrador

Québec

Ontario

Île-du-Prince-Édouard

Nouvelle-Écosse

Nouveau-Brunswick

Terres et peuples du Canada

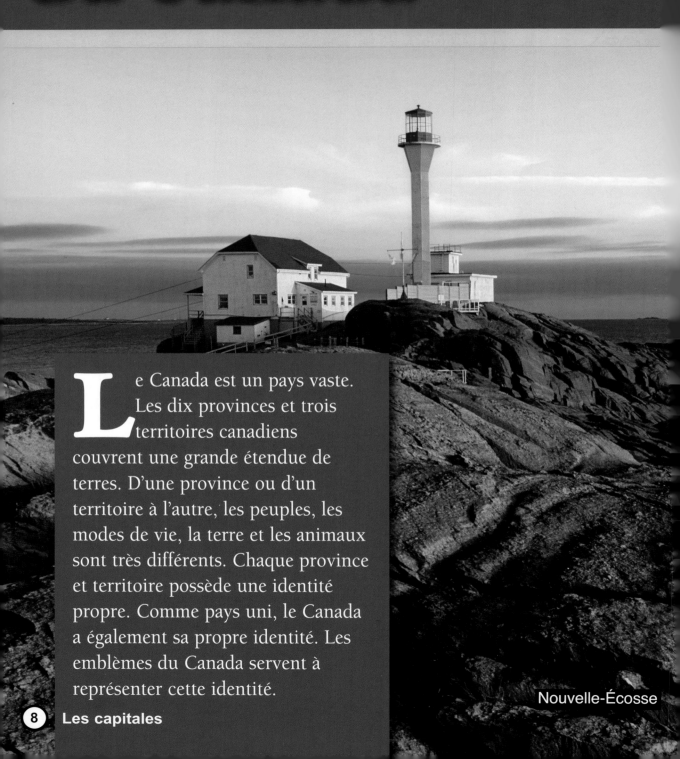

L e Canada est un pays vaste. Les dix provinces et trois territoires canadiens couvrent une grande étendue de terres. D'une province ou d'un territoire à l'autre, les peuples, les modes de vie, la terre et les animaux sont très différents. Chaque province et territoire possède une identité propre. Comme pays uni, le Canada a également sa propre identité. Les emblèmes du Canada servent à représenter cette identité.

Nouvelle-Écosse

Alberta

Colombie-Britannique

Manitoba

Nouveau-Brunswick

Terre-Neuve-et-Labrador

Quand les gens pensent au Canada, des côtes maritimes, de hautes chaînes de montagnes et des prairies vallonnées viennent généralement à l'esprit. Le Canada occupe une superficie de près de 10 millions de kilomètres carrés. C'est le plus grand pays en Amérique du Nord. La majorité des terres sont recouvertes de forêts **boréales** qui nourrissent et abritent des canards, des oies, beaucoup d'espèces d'oiseaux **migrateurs** et d'autres animaux des bois. Le Canada a aussi beaucoup de lacs et de rivières scintillants, et des déserts polaires.

Environ 33 millions de personnes vivent au Canada. La population est composée de peuples autochtones, asiatiques, africains, arabes, britanniques, français, et d'autres origines.

Fouiller le Web

Retracez les événements importants de l'histoire du Canada à **http://canada.americas-fr.com/histoire.html**

Découvrez les merveilles naturelles du Canada en cliquant les numéros sur la carte du Canada à **www.thecanadianencyclopedia.com/customcode/ Media.cfm?Params=F3natural-wonders.swf.**

Edmonton (Alberta)

La *Loi sur l'Alberta* de 1905 a créé l'Alberta à partir d'une grande parcelle de terre appelée les Territoires du Nord-Ouest. Edmonton a été choisie la capitale temporaire de la province, mais plusieurs autres communautés, dont Calgary, voulaient aussi devenir la capitale. Pendant les mois suivants, les communautés ont fait des présentations au gouvernement pour devenir la capitale officielle. Edmonton a été officiellement déclarée la capitale de l'Alberta en 1906.

Edmonton se trouve au centre de l'Alberta, près de la rivière Saskatchewan Nord. La ville a emprunté son nom de Fort Edmonton, poste important de traite des fourrures jadis situé à côté de l'édifice de l'Assemblée **législative** de l'Alberta.

Edmonton occupe une superficie de 684,37 kilomètres carrés et a une population d'environ 730 372 habitants. La ville est connue pour sa belle vallée fluviale, ses fêtes et sa diversité culturelle et économique. Edmonton est depuis longtemps le centre de transport et de distribution pour les communautés nordiques du Canada, c'est pourquoi on la surnomme « porte d'entrée du Nord ».

Victoria (Colombie-Britannique)

Lorsque la Colombie-Britannique s'est jointe au Canada en 1871, Victoria était la capitale provinciale. Située à l'extrémité sud de l'île de Vancouver, la ville porte le nom de la reine Victoria.

Victoria a une population d'environ 78 057 habitants et une superficie de 19,68 kilomètres carrés. La ville à caractère britannique distinct est reconnue pour ses nombreux jardins, ainsi que les baleines, phoques et dauphins qui nagent dans l'eau de mer.

Les autochtones étaient les premiers à s'installer dans la région de l'actuelle Victoria. Parmi eux se trouvaient les Songhees et Kosapsom. Ces peuples appartenaient à un groupe de nations autochtones appelé les **Salish du littoral**. En 1843, James Douglas, commerçant de fourrures britannique à la Compagnie de la Baie d'Hudson, arrive dans la région. Avec son équipage, il entreprend la construction du fort Victoria et baptise la ville en l'honneur de la reine d'Angleterre.

Victoria est un portail vers le **littoral du Pacifique**. Aujourd'hui, elle affiche de nombreux vestiges du patrimoine autochtone et britannique. Par exemple, la présence de restaurants de mets britanniques et les totems érigés où étaient les villages autochtones d'autrefois symbolisent ce patrimoine.

Winnipeg (Manitoba)

En 1870, le Manitoba devient la cinquième province du Dominion du Canada. La même année, Winnipeg est choisie la capitale provinciale. Située dans le sud-est de la province, la ville se trouve à la jonction des rivières Rouge et Assiniboine. Le nom Winnipeg est un mot Cri qui signifie « eau boueuse », en rapport au lac Winnipeg, situé à 65 kilomètres au nord de la ville.

Winnipeg occupe une superficie de 464,01 kilomètres carrés et compte une population d'environ 633 451 habitants. Winnipeg et les communautés voisines forment ensemble la **métropole** de Winnipeg, occupant 5 302,98 kilomètres carrés de terres. Winnipeg est l'une des capitales qui regroupe la plus grande diversité culturelle au Canada. Elle dessert environ 45 communautés ethniques.

Winnipeg est la huitième plus grande ville au pays. Au fil des ans, elle a joué un rôle clé dans le développement de l'Ouest canadien. Elle demeure l'un des principaux centres culturels, financiers et commerciaux au pays.

Fredericton (Nouveau-Brunswick)

En 1785, Fredericton a été choisie la capitale du Nouveau-Brunswick. La ville est située en bordure du fleuve Saint-Jean au centre du Nouveau-Brunswick et couvre environ 130,68 kilomètres carrés. Établissement **Loyaliste**, la ville a été nommée en hommage du Prince Frédéric, second fils du roi George III.

Fredericton a été choisie la capitale du Nouveau-Brunswick en raison de son excellent emplacement. Même si Saint John était plus grande et plus établie, son emplacement au bord de la mer la rendait vulnérable aux attaques ennemies. En plus d'être plus éloignée de la baie de Fundy, Fredericton est facilement accessible par le fleuve Saint-Jean et est entourée de forêts et de terres agricoles.

Fredericton compte environ 50 535 habitants, surtout d'origine canadienne ou britannique. Plus de 20 pour cent de la population est **bilingue**, et environ six pour cent sont **francophones**. Pendant des centaines d'années avant que Fredericton ne devienne la capitale, la région servait d'arrêt saisonnier pour les peuples Malécites et **Micmacs**. Là, ils chassaient, pêchaient, et récoltaient le maïs et la courge près du Woolastook, nom qu'ils donnaient au fleuve Saint-Jean.

St. John's (Terre-Neuve-et-Labrador)

En 1949, lorsque Terre-Neuve-et-Labrador est devenue la dixième province du Canada, St. John's a été nommée la capitale provinciale. Selon la légende, le nom de St. John's provient de la fête de la Saint-Jean-Baptiste. On croit que la première visite à Terre-Neuve de l'explorateur Jean Cabot en 1497 coïncidait avec cette fête.

Située sur la côte est de la péninsule d'Avalon, St. John's encadre un port de mer profond qui rejoint l'océan Atlantique par un canal long et étroit appelé « The Narrows » ou passage. La ville a une superficie de 446,04 kilomètres carrés et une population d'environ 100 646 habitants. Environ un tiers de la population totale de Terre-Neuve-et-Labrador habite la région métropolitaine de St. John's.

Aujourd'hui, St. John's est le centre commercial, culturel et éducatif de la province. Elle est reconnue pour les bâtiments colorés, les gens sympathiques et une ambiance animée.

Yellowknife (Territoires du Nord-Ouest)

Yellowknife a été choisie la capitale des Territoires du Nord-Ouest en 1967. Elle est la seule ville des Territoires du Nord-Ouest et est la deuxième capitale la plus au nord du Canada. Yellowknife se situe sur la rive ouest de la baie de Yellowknife au bras nord du Grand lac des Esclaves.

Yellowknife couvre une superficie de 105,22 kilomètres carrés et compte une population d'environ 18 700 habitants. C'est la seule communauté des Territoires du Nord-Ouest avec une population de plus de 5 000 habitants. Yellowknife est composée de deux sections—Old Town et New Town. Old

Town est l'emplacement original de la ville, situé sur l'île Latham. Un pont relie ce quartier à New Town sur terre ferme.

Le nom Yellowknife vient de la bande de Yellowknife de la nation Chipewyan. Elle s'est installée dans la région pour profiter de la traite de fourrures. La bande utilisait des couteaux aux lames de cuivre jaune.

Halifax (Nouvelle-Écosse)

En 1867, Halifax était la capitale de la Nouvelle-Écosse à l'époque où la province entre dans la **Confédération**. C'est la plus grande ville des provinces maritimes du Canada et l'une des plus anciennes villes canadiennes. Halifax est nommée en l'honneur de George Montagu Dunk, comte d'Halifax et lord du Commerce et des Plantations, qui aide à établir la région.

Halifax est située au centre de la Nouvelle-Écosse, sur la côte sud. Elle se trouve sur l'un des plus grands ports naturels de l'Atlantique. La majorité de la ville est construite sur une péninsule entre le port et le bras de mer Northwest. En 1996, la Ville de Halifax est intégrée à la municipalité régionale de Halifax. Elle comprend plusieurs comtés et quatre **réserves**. La superficie totale est de 5 490 kilomètres carrés, avec une population de 372 679 habitants.

Les peuples autochtones vivaient dans la région de Halifax bien avant l'arrivée des explorateurs européens. Pendant des siècles, les Micmacs chassaient et pêchaient dans la région féconde. Ils appelaient la région Chebucto ou « plus grand port ».

Iqaluit (Nunavut)

Iqaluit, ou « beaucoup de poissons », est la capitale du Nunavut, plus récent territoire du Canada. Lors du **référendum** de 1995, Iqaluit a été choisie la capitale du nouveau territoire du Nunavut. Toutefois, ce n'est qu'en 2001 qu'elle est reconnue comme ville.

Iqaluit est la plus grande communauté et aussi la seule ville au Nunavut. Avec une superficie de 52,34 kilomètres carrés, elle est située sur la partie sud-est de l'île de Baffin, au nord de Québec.

De toutes les capitales du Canada, Iqaluit a la plus petite population à environ 6 184 habitants. Presque 60 pour cent de la population est d'origine inuite. Les Inuits habitent la région depuis plus de 500 ans.

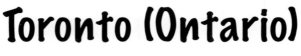

Toronto (Ontario)

En 1793, Toronto a été choisie comme nouvelle capitale de l'Ontario. À l'origine, elle portait le nom de York en l'honneur du duc de York, second fils de George III, Frédéric-Auguste. En 1834, la ville a été renommée Toronto.

La ville de Toronto est située dans le sud de la province, sur la rive nord du lac Ontario. La ville couvre une superficie de 630,18 kilomètres carrés et compte une population d'environ 2 503 281 habitants, ce qui fait d'elle la ville la plus peuplée du Canada. Toronto est considérée la capitale économique du Canada et est l'un des principaux centres financiers au monde.

Le nom de Toronto est probablement dérivé du mot iroquois *tkaronto* qui signifie « endroit où les arbres se dressent dans l'eau. » Ceci se rapporte à l'extrémité nord de l'actuel lac Simcoe. C'est là que les Hurons plantaient des jeunes arbres pour piéger les poissons.

Charlottetown (Île-du-Prince-Édouard)

En 1855, Charlottetown devient officiellement la capitale de l'Île-du-Prince-Édouard. Elle est connue comme le berceau du Canada, car les pères fondateurs y tiennent leur première conférence sur la Confédération.

Charlottetown est nommée en l'honneur de la reine Charlotte, épouse du roi George III. La ville est située sur un vaste port s'ouvrant sur le détroit de Northumberland, sur la rive sud de l'Île-du-Prince-Édouard. Elle a une superficie de 44,33 kilomètres carrés et une population d'environ 32 174 habitants.

Les premiers résidents de l'Île-du-Prince-Édouard étaient les Micmacs. Ils ont nommé l'Île-du-Prince-Édouard « Abegweit » ou « berceau sur les vagues ». Il y a plus de 2 000 ans, le peuple Micmac pratiquait la chasse, la pêche et la récolte dans la région entourant l'actuelle ville de Charlottetown.

Dans les années 1800, les grandes industries de Charlottetown étaient la fabrication et la construction navale. Aujourd'hui, les plus importantes industries sont l'agriculture, la pêche, le tourisme et la transformation de poissons et de fruits de mer.

Québec (Québec)

Québec a été nommé la capitale du Canada de 1851 à 1855 et de 1859 à 1866. Après la Confédération, elle est devenue la capitale de la province de Québec. Le nom Québec provient du mot algonquin kebek qui signifie « rétrécissement des eaux ». Ceci se rapporte au rétrécissement du fleuve au Cap Diamant.

Québec a une superficie de 454,26 kilomètres carrés. Elle est située à 250 kilomètres à l'est de Montréal et à 850 kilomètres au nord de la ville de New York. Elle a une population d'environ 491 142 habitants. La plupart des résidents de Québec parlent le français, l'une des langues officielles du Canada.

Au début de la **Nouvelle-France**, les plus importants commerces à Québec étaient le bois et les fourrures. Toutefois, dans les années 1800, sa situation de ville portuaire sur la rive nord du fleuve Saint-Laurent favorise une importante industrie de construction navale. À titre d'un des plus importants ports en eau profonde au Canada, Québec gère encore environ 17 millions de tonnes de fret de haute mer par année. La ville est également une importante destination pour les navires de croisière, car plus de cent navires de luxe y font escale chaque année.

Regina (Saskatchewan)

En 1905, la Saskatchewan devient une province et Regina est nommée la capitale officielle. On l'appelle la « ville reine des Plaines » parce que *regina* veut dire reine en latin.

Regina occupe une superficie de 118,87 kilomètres carrés et a population d'environ 179 246 habitants. Située au centre-sud de la province, Regina est au coeur de la région des Prairies du Canada. C'est l'une des plus grandes villes des Prairies. La ville semble effectivement se dresser comme une **oasis** au centre des prairies vallonnées. De toutes les villes canadiennes, Regina se rapproche le plus du centre géographique de l'Amérique du Nord.

La région de Regina a d'abord été habitée par les Cris et les Assiniboines. Ces premiers peuples appelaient la région Oskana, mot cri qui signifie « os ».

Whitehorse (Yukon)

En 1953, Whitehorse devient la capitale du Yukon. Elle sert de centre financier, culturel et commercial du territoire. Whitehorse tient son nom des rapides White Horse de la rivière Yukon. On disait autrefois que les rapides ressemblaient à la crinière de chevaux blancs.

Whitehorse est située dans le sud du territoire sur la rive ouest de la rivière Yukon, à environ 80 kilomètres au nord de la frontière de la Colombie-Britannique. Elle couvre une superficie de 416,43 kilomètres carrés et est la capitale la plus à l'ouest du Canada. Environ 20 461 personnes habitent à Whitehorse, soit à peu près les deux tiers de toute la population du Yukon.

Pendant des milliers d'années, Whitehorse était fréquentée par divers peuples. Il y a plus de 2 500 ans, les peuples autochtones établissaient des camps saisonniers de pêche et de chasse dans la région. Ces groupes comprenaient les peuples Tutchone du Sud et les Tagish de l'intérieur du Yukon, et les peuples des Tlingit de la côte Pacifique.

Guide des capitales du Canada

LA CAPITALE NATIONALE
Ottawa

ALBERTA
Edmonton

COLOMBIE-BRITANNIQUE
Victoria

ÎLE-DU-PRINCE-ÉDOUARD
Charlottetown

MANITOBA
Winnipeg

NOUVEAU-BRUNSWICK
Fredericton

NOUVELLE-ÉCOSSE
Halifax

NUNAVUT
Iqaluit

ONTARIO
Toronto

QUÉBEC
Québec

SASKATCHEWAN
Regina

TERRE-NEUVE-ET-LABRADOR
St. John's

TERRITOIRES DU NORD-OUEST
Yellowknife

YUKON
Whitehorse

La capitale nationale du Canada

Les emblèmes nationaux sont des symboles qui représentent l'ensemble du pays. Le drapeau canadien, connu sous le nom d'unifolié, est un tel symbole. Un autre est le plongeon huard, qui est l'oiseau national. L'arbre national est l'érable. La capitale du Canada est Ottawa.

À l'origine, Ottawa s'appelait Bytown en l'honneur du colonel John By des ingénieurs royaux. Il a dirigé la construction du Canal Rideau.

Le nom « Ottawa » est dérivé du mot algonquin *Odawa* qui signifie « commercer ».

Ottawa est connue pour ses tulipes, musées, entreprises de haute technologie et les édifices du Parlement aux toits verts.

Histoire de la capitale

En 1855, Bytown est devenue une ville officielle et a pris le nom d'Ottawa. Deux ans plus tard, en 1857, la reine Victoria de Grande-Bretagne choisit Ottawa comme capitale du Haut et du Bas-Canada, aujourd'hui l'Ontario et le Québec. Le choix de la reine a beaucoup intrigué de gens. Ils pensaient qu'une ville plus au sud serait préférable. Toronto et Montréal, par exemple, avaient des populations plus importantes, un climat plus doux et de meilleurs réseaux de transport. Malgré ces préoccupations, les édifices du Parlement ont été construits à Ottawa. À la naissance du Canada en 1867, Ottawa est devenue la capitale de la nation.

Sections de la Colline du Parlement

La Colline du Parlement à Ottawa est l'un des plus importants sites du patrimoine au Canada et un symbole de fierté nationale pour les Canadiens.

L'ÉDIFICE DE L'OUEST
L'édifice de l'Ouest renferme les bureaux des ministres, des députés, de leurs employés, les salles de comité et la salle de la Confédération.

L'ÉDIFICE DU CENTRE
L'édifice du Centre comprend le Sénat, la Chambre des communes et la Bibliothèque du Parlement. Beaucoup de bureaux importants comme celui du premier ministre se trouvent également dans l'édifice du Centre.

L'ÉDIFICE DE L'EST L'édifice de l'Est compte beaucoup des bureaux de sénateurs. Le bureau du premier des premiers ministres du Canada, Sir John A. Macdonald, se trouve également ici.

TOUR DE LA PAIX La Tour de la Paix est située devant l'édifice du Centre. Elle a été nommée Tour de la Paix pour rendre hommage aux Canadiennes et aux Canadiens qui ont sacrifié leur vie lors de conflits armés.

BIBLIOTHÈQUE La Bibliothèque du Parlement offre des services d'information, de référence et de recherche aux hauts fonctionnaires et officiels du Sénat et de la Chambre des communes, aux parlementaires et à leurs employés, et aux comités, associations et délégations parlementaires.

Mettez vos connaissances à l'épreuve

1 Qu'est-ce qu'une capitale?

2 Où se trouve la ville de Victoria?

3 Que signifie « Winnipeg » en Cri?

4 Quelle est la capitale surnommée la porte d'entrée vers le Nord du Canada?

5 Où se trouve Fredericton?

6 Quelle est la huitième plus grande capitale au Canada?

7 Quelles sont les deux villes nommées des capitales en 1906?

8 Quelle était la dixième province à se joindre à la Confédération?

Quelle capitale représente la grande ville des provinces maritimes du Canada?

13 Qui étaient les premiers à s'installer à Québec?

14 Quel Européen a été le premier à visiter Terre-Neuve?

10

Comment Yellowknife a-t-elle reçu son nom?

15 Quelle est la capitale connue comme lieu de naissance du Canada?

11

En quelle année Iqaluit a-t-elle été reconnue comme ville?

12 Laquelle des capitales est la ville la plus peuplée au Canada?

Réponses
1. Ville où se trouve le gouvernement fédéral, provincial ou territorial.
2. Au sud de l'île de Vancouver
3. « Eau boueuse »
4. Edmonton
5. Au bord du fleuve Saint-Jean au centre du Nouveau-Brunswick
6. Winnipeg
7. Edmonton et Regina
8. Terre-Neuve-et-Labrador
9. Halifax
10. La couleur des couteaux de la bande Yellowknife de la nation Chipewyan
11. 2001
12. Toronto
13. Iroquois
14. Jean Cabot
15. Charlottetown

Créez un édifice symbolique

Créez un édifice symbolique pour représenter votre communauté. Pour commencer, songez à l'histoire de votre communauté. Quel type d'édifice aimeriez-vous créer? Ce livre peut vous aider. À quoi ressemble l'édifice de la capitale dans votre province ou territoire? Quelles seront les ressemblances à cet édifice symbolique dans votre communauté? Quelles en seront les différences?

Pensez à l'apparence de l'édifice. Aura-t-il un dôme? Sera-t-il gros ou petit? Où allez-vous construire l'édifice? Pourquoi? Les images dans ce livre peuvent vous aider. Vous pouvez aussi visiter la Colline du Parlement en ligne à **http://revver.com/video/ 914042/parliament-hill-in-ottawa** ou **http://www.parliamenthill.gc.ca/index-fra.html**

Dessinez votre édifice sur du papier. Utilisez le diagramme aux pages 26 et 27 pour vous aider à dessiner certaines parties de votre édifice. Coloriez votre dessin avec des crayons-feutres. Quand vous avez terminé, étiquetez les parties de votre édifice.

Rédigez une description de votre édifice. De quel genre d'immeuble s'agit-il? Qu'est-ce qu'il indique au sujet de votre communauté?

Recherches supplémentaires

Beaucoup de livres et de sites Web donnent des renseignements sur les édifices des capitales. Pour en savoir plus sur ces édifices, empruntez des livres à la bibliothèque ou naviguez sur Internet.

Livres

La plupart des bibliothèques ont des ordinateurs branchés à des bases de données pour la recherche d'informations. Si vous entrez un mot clé, vous obtiendrez une liste de livres de la bibliothèque où figurent des renseignements sur le sujet. Les ouvrages généraux sont classés numériquement, selon la cote. Les livres de fiction sont organisés par ordre alphabétique, d'après le nom de famille de l'auteur.

Sites Web

Trouvez des faits fascinants sur chaque province et territoire du Canada à **www.pco-bcp.gc.ca/aia/index.asp?lang=fra&page=provterr&sub=map-carte&doc=map-carte-fra.htm**.

Renseignez-vous sur les autres symboles canadiens à **www.pch.gc.ca/fra/1266350021122/1266214672512**.

Renseignez-vous sur d'autres édifices à Toronto à **www.emporis.com/fr/wm/**

Glossaire

bilingue : qui parle deux langues

boréale : région du Nord aux températures très froides

Confédération : union des provinces et territoires pour former le Canada

francophone : personne d'expression française, en particulier dans une région où l'on parle deux langues ou plus

législatif : ayant le pouvoir d'établir des lois

littoral du Pacifique : pays et masses terrestres autour de l'océan Pacifique

Loyaliste : personne loyale ou patriotique envers le souverain ou le gouvernement

métropole : composé d'une grande ville et ses banlieues

migrateur : se déplaçant d'un endroit région à l'autre

Micmac : parmi le premiers habitants connus de l'Est du Canada

Nouvelle-France : nom donné aux territoires français de l'Amérique du Nord jusqu'à 1763

oasis : terre fertile en plein désert

peuplé : ayant une grande population

référendum : vote général fait par le peuple d'un pays pour ou contre une proposition particulière du gouvernement

réserves : terres réservées aux peuples autochtones

Salish du littoral : nation autochtone vivant sur l'île de Vancouver

Index

Some Birthday!

Some Birthday!

PATRICIA POLACCO

SIMON & SCHUSTER BOOKS FOR YOUNG READERS

Published by Simon & Schuster

New York · London · Toronto · Sydney · Tokyo · Singapore

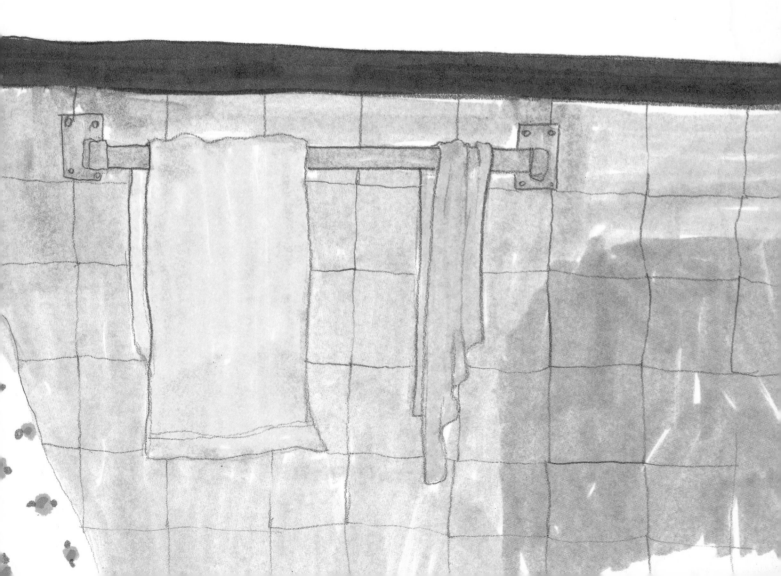

SIMON & SCHUSTER BOOKS FOR YOUNG READERS
Simon & Schuster Building, Rockefeller Center, 1230 Avenue of the Americas,
New York, New York 10020.

Designed by Lucille Chomowicz. The text of this book is set in 15 point Usherwood Medium. The illustrations were done in pencil with color marking pens and acrylic paint. Manufactured in Mexico 10 9 8 7 6 5 4 3 2 1

Library of Congress Cataloging-in-Publication Data
Polacco, Patricia. Some birthday! / by Patricia Palacco. Summary: On her birthday Dad takes a young girl and her brother to see the Monster at Clay Pit Bottoms. [1. Birthdays— Fiction. 2. Fathers—Fiction.] I. Title. PZ7.P75188Ch 1991 [E]—dc20 90-10381 AC
ISBN 0-663-56229-5

For Pam Pollack

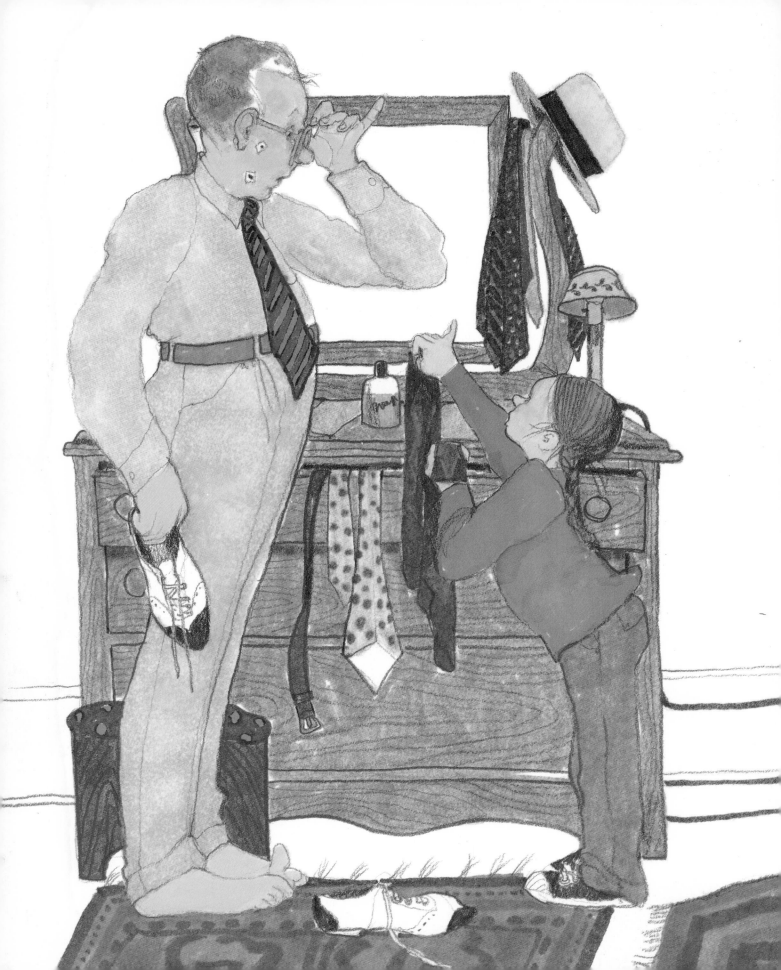

My mom and dad were divorced.

My brother, Rich, and I lived with my mother, except that we spent every summer with Dad and Gramma, my dad's mother. Cousin Billy lived nearby.

Dad was a traveling salesman.

It was my job to get him up and to make sure his socks matched. He was color-blind, you see.

Before he went to work, Dad and I would have breakfast together. We'd talk about everything in the world, and he could always make me laugh. But today he wasn't saying anything—and it was my birthday!

"Anything special happening today, Daddy?" I asked, hoping it would help him remember.

"Nope, honey. Today's about the same as any other day, I'd say."

Just as I was going to drop a big hint about the pedal pushers and blouse I wanted for my birthday, he was out the door, into his car, and off to work.

"See you tonight, honey," he called out.

That night when Dad came home, I looked for a birthday present.

He read the paper like he always did. Then he started watching TV, like he always did!

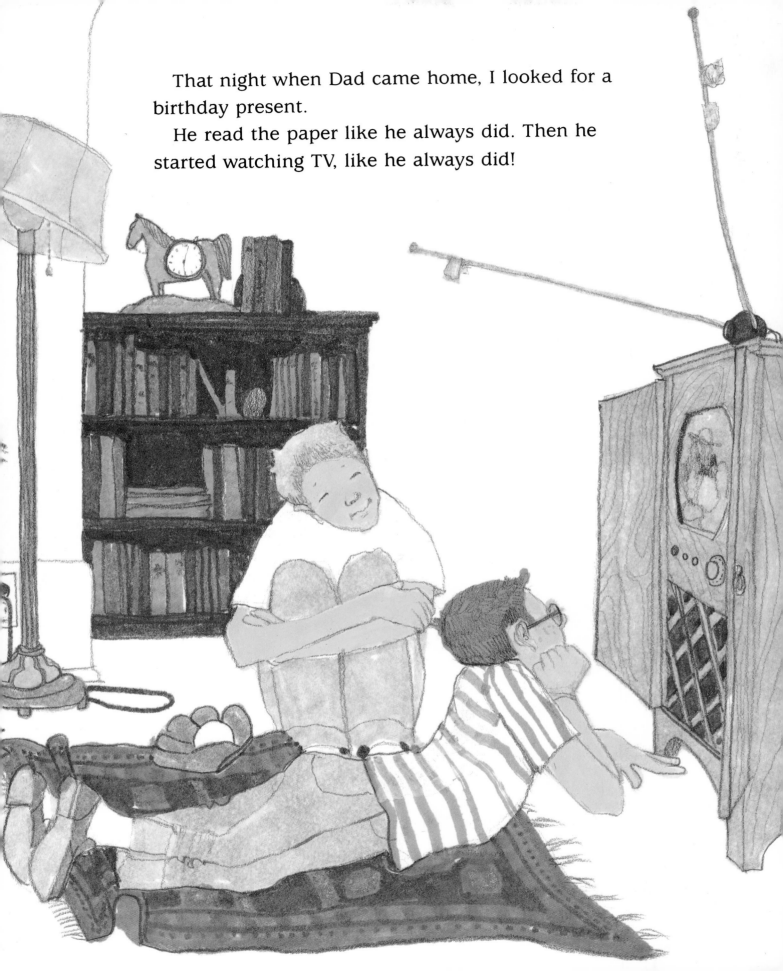

Suddenly, my dad sat up in his easy chair and got that look in his eye that usually meant he was up to something. "I think tonight might be the perfect night to do it," he said.

"Do what?" my brother and my cousin Billy asked.

"I think tonight we should head down to the Clay Pit."

"But, Dad," I said, "everybody knows that the Clay Pit is haunted!"

"I'm with you, Dad," my brother said.

"Me, too," added Billy.

Not only had my birthday been completely forgotten, but now we had to go to one of the scariest places on earth…and at night!

"Tonight we're going to get the very first photograph ever taken of the Monster at Clay Pit Bottoms."

Even though I was scared, I began to feel a little excited.

"Okay, Richie Boy, you get the bait," Dad told my brother as he read from a list he'd made. "Some smelly cheese will do."

"I'll get some from the fridge," said Gramma.

"You get my camera, Billy," said Dad.

"Okay, Uncle Bill," my cousin called.

"Patricia, you go get the flashlights."

"Got 'em," I called out as I held up two Everlast Midnight Specials.

"Hot dogs. Buns. Marshmallows," my dad read.

"I'll put them in a basket for you and the children, William," said Gramma.

"If we each carry a blanket, we'll be all set," said Dad.

We put on galoshes, rain gear, and woolen caps in case it got cold.

We marched down the street toward the bottomland
at the edge of town.
   "We're almost there," my dad called out in a kind of
scary voice.

As we came up to the edge of the water, it looked black, cold, and very deep.

"I think I saw something," Billy whispered.

We all gasped and stood stock-still as we watched the water for a sign of the monster's approach.

"C'mon, kids," my dad ordered. "We have to set up camp."

We threw our blankets over a low-hanging branch and put rocks on the corners to make a tent. Then we all collected wood for our campfire.

The fire looked warm and friendly.

"Let's eat," Dad said as he threaded hot dogs onto sticks. "We'll need our strength later."

"What do you think the monster looks like?" I asked my father.

He dabbed the mustard from the corners of his mouth.

"Well," he began, "I've heard it's the ugliest, meanest, slimiest thing anyone ever saw. People say that if you look it in the eye, your hair turns white and you're never the same again."

We all just looked at each other, too scared to speak.

"I know that it loves things that smell bad. That's why you kids should never squawk about taking baths."

We all looked at the water for a long time.

"Do you think that if we get its picture, it will get in
the papers, Uncle Bill?" my cousin asked after a while.
"Sure! It'll make the *State Journal*…and we'll all be
heroes," my dad promised. "Now I think that this is just
about the right time for us to begin."
"Begin what?" I said, still scared.
Dad didn't answer.
"It ought to come for this alright," Dad said as he put
the smelly cheese on the edge of the pit. "My, but you are
brave kids," he said. "Sure can't think of anyone that
I'd rather risk my hide with than you!"

Just then something rippled the surface
of the black water.

"See that?" my brother whispered.

"Something really big is out there," I squealed.

My dad's face became very serious. Maybe he was even
a little scared himself.

"What if it comes after us?" my cousin Bill cried.

"If it looks like it's going to come after us, then run with
all your might for home. Don't look back...just keep
running!" my father told us.

Then there was a rustling in the bulrushes. The frogs
stopped croaking.

"I see it!" my brother yelled.

I wasn't sure, but I thought I could see something big gliding along the water straight at us!

Dad took the camera and walked into the darkness to investigate.

Soon we heard snarling and growling. We started screaming and hollering at each other. Then we heard a loud *kerplash*.

I flashed the light at the sound and saw something BIG coming out of the water. It stood on two hind legs and came right at us. It smelled awful!

Then there was a terrible howl.

"It's the monster. Let's get outa here!" my brother shouted as he ran for home.

"The monster!" we all screamed as we ran up on our front porch.

Breathlessly, we told my gramma what had happened.
"Well," she said. "I think your monster is coming through the front door right now!"

There was my dad, soaked to the skin, smelling real bad, covered with bulrushes. "You should have seen it,

Ma," my dad told Gramma between belly laughs. "Our monster turned out to be a floating log. Then Harley Beeches's bloodhounds found the cheese and got into a fight. I tried to separate them, slipped, and fell into the water...." Then my old man laughed so hard he cried.

"Some way to celebrate a certain little girl's birthday!" said Gramma as she brought my birthday cake—a whipped cream cake with a rubber monster and candles on top.

Then everybody yelled happy birthday!

"You remembered," I said as I opened my dad's present. "Just what I wanted." The pedal pushers and blouse didn't match, but who could complain...this had been some birthday!

"Daddy, is there really a monster?" I asked.

"Of course there is!" my dad said between mouthfuls of whipped cream cake. "Maybe next year," he said with a wink, "we'll get the picture."

Then everyone sang "Happy Birthday" to me.
My dad sang the loudest—and off-key, of course.
That's my dad.